KB178096

빛 바랜 젊음의 맛에서는 영원의 비린내가 난다
이승리 사색집

우리가 영원을 그리워하는 건 아무래도 우리가
영원의 고향에서 떠나왔기 때문이지

작가의 말

세상의 모든 '나'들이
이토록 찬란한 영원을 맛보길 바라며
나는 감히 이 시간들을 누군가의 꿈이자 누군가의 추
억, 그리고 누군가의 사랑이라 말하겠습니다
바라건대 이 순간들이, 이 모든 마음들이
오래도록 어쩌면 영원히. 기억되길

2024년 6월
이승리

1장

2장

3장

Playlist

.

.

.

Chapter1-Mot,날개

Chapter2-Fkj,ylang ylang

Chapter3-오영,배드신

1장

♪(MOT-날개)
우린 떨어질 것을 알면서도
더 높은 곳으로만 날았지.

잘 자,

모처럼 이라 당신 생각을 해보려고 했습니다만
당신에 대해 무슨 기억을 먼저 꺼내봐야 할지
선뜻 그 기억들을 내보이길 주저했습니다

당신을 떠올리면 드는 감정들은 이제껏 느꼈던 것들관 조금 달라서 당신이 나 때문에 아픈 것보다 조금 더 쓸모 있는 걱정들로 아픈 게 싫은 마음이에요

내가 기억하는 우리는 아주 어렸고 그만큼 서툴렀는데 어떻게 그렇게 사랑스러울 수 있었는지, 그걸 우린 아마 오래도록 알지 못하겠지만

당신 나한테 편지했던 말들이,
서툴지만 내게 어떤 말을 하고 싶었던 건지
시간이 조금 흐르고 알았습니다.

아직 그 편질 읽는다고 하면 화낼지도 모르겠네요
우리가 이제 서로 안부를 물을 사인 아니지만
나는 모쪼록 당신의 밤이 아름답길 바라겠습니다

썸머 유포리아

요즘은 여름에 심취해 살아갑니다.
그렇게 싫은 매미조차 후둑후둑 떨어져 나갈 때
그 처절한 날갯짓에 한없이 가여워져요

늦여름엔 발밑 조심

우리의 걸음걸이에 무언가의 세상이 끝나니
여름엔 맨발에 슬리퍼만 신어도 발끝이 무겁고..
힘겹습니다..

한여름의 고모레비를 보고 있자면 뭐든 다 좋은
거 같습니다 말로 형용할 수 없는 뜨거움 아래의
치열한 빛이 일렁이는 감정은 더위에 속이 울렁
거려도 끝내 여름을 놓아주지 못하는 이유일까요?

고만고만한 청춘을 붙잡아 종이별과 함께
플라스틱 통에 담아 우리 할머니한테 선물하고
싶은 밤입니다

자일리토올

입 안에서 아무리 굴려봐도 맛볼 수 없는 건
아프지만
껍질도 제대로 깔 줄 모르면서 기어코 먹는
사탕의 맛은
달다

어설프게 벗겨진 비닐포장의 맛은 무심하다
다정하게, 딸기맛으로 배를 채우고
내쉬는 달짝지근한 숨에
헛구역질을 한다

충치처럼 자꾸만 옮겨붙는 사랑이
결국 내 열일곱을 좀먹었으니까,
한쪽으로만 씹는 나쁜 습관이 생겼다

(난 이제 핀잔을 들어도 아무렇지가 않아, 기쁘다)
가끔 이 질긴 꿈에서 깨기 위해 필요한건

꿈보다 해몽

너무 늦은 새벽 다섯시
비오는 날 순댓국밥 집에서 나와
자판기 커피 대신 사천오백원짜리 아.아를
사 마시는 기분
사랑하는 사람의 미운 모습을 처음 보던 날
네 눈썹도 자꾸만 흘러내렸니
희멀겋게 타오르는 불투명한 액체에 손을 불렸어
그 냄새는 고약하다더라
너는 맨발에 슬리퍼를 지익지익 끄는 마음으로
불안을 질질 끌고다녀
나의 걸음걸이를 사랑하기 위해서
그 정돈 해야된다더라
지루한 제로 콜라의 부글거림이
조금씩 잦아드는 새벽엔
네가 나타나진 않을까
안절부절 못해
죽은 초승달이 여덟 개 떠오른 날
향내같이 피어오르는 책의 유령들

악몽을 꾸지 않기 위해
악몽을 예습하던 날들
너무 아파서 차마 비명도 지르지 못했던 꿈을
나는 기억해
누가 죽는 꿈은
그 사람이 오래 산다는 뜻이라길래
꿈속에서 나는 너의 손을 놓았는데
잠에서 깬 이부자리에선 원망의 냄새만 난다더라

Memento mori

시간은 무겁고 느리게 흐른다
소년은 당최 뭐가 잘못되었는지 알 수 없기에
그저 멍하니
눈만 왼쪽, 오른쪽 굴릴 뿐이다.
시간이 좀 더 흘러 더 많은 것들이 그의 시야에서
사라져 갈 즈음
소년은 자신의 소멸을 직감적으로 깨닫는다.

소멸
소멸은 죽음일까?
소멸이 죽음보다 더 나은 것인지 아닌지 소년은
잠시 생각한다
비극적이지 않지만 남는 것들이 남지 않는 것과
다를 바 없어지는 게
더 무서운 것 아닐까.
하여, 소년은 차라리 죽어버리고만 싶다
죽음 뒤에 상상할 수 있는 모든 경우의 수 들을
떠올리며,

천천히, 비극적인 죽음을 맞이하고 싶다.
두렵지는 않을 테니 괜찮다

'신을 못 믿겠다면 나라도 믿어야지,
나를 못 믿으면 신이라도 믿어야 해'

소년은 그의 할머니가 입버릇처럼 하던 말을 자기
도 모르게 자꾸만 되뇌인다

그건 마치 이름 모를 먼 이국의 죽음을 숭배하는
이들의 경건한 주술처럼 들린다

속내1

언젠가 나는 스스로의 감정에 무딘 나를 대견해 한 적 있습니다 이유 없는 눈물을 이해하지 못하는 내가 아주 강한 사람이라고 믿어 의심치 않았어요 그치만 나는 내 감정에 솔직해지는 게 미숙하고 두려운 것 뿐, 내 안의 응어리들을 똑바로 바라보지 못할 분이였고요 그것들의 모난 형태를 더듬어보다 대충 빛깔을 짐작하곤 괜히 찝찝해 구석에 던져놓는 것이었습니다

그래서인지 저에겐 오랜 슬픔이란 것이 거의 없습니다. 대신 가끔 사무치는 그리움이나 부끄러움 같은 것들을 소중히 생각해요. 때로는 견딜 수 없을 만큼의 감정이 밀어 치곤 하는데, 이마저 한심해 웃어넘기고 마는 접니다.

사랑은, 여전히 가소로이 여길 줄 알아야 한다는 숙제, 미숙하고 덜떨어진 것들을 무엇보다 소중히 간직하는 일입니다

굳은살

쉬운 손짓들은 정말 쉽게 잊혀질까요
열게 자리 잡은 자국 위엔 새삼
상처 하나 없이 매끈해요

'킥킥, 그거 참 애매하다'

그래요, 자랑스러워요?
그럼 따라 웃을래요
웃으면 행복해진다는 말을
나는 아직 믿습니다

그렇게 웃음이 가시고 나면
귓가에 쟁쟁한 소리는
허무한 공허만 남기고,

이젠 제법 무뎌진 이 자리도
얼얼하긴 하네, 하고 문질러 주세요

그러다 아직 아프게 남아있을 연약함에
조금은 놀라주길 내심 기대해요
그래요, 지금은 바쁘니까
다음에 얘기해요

K였던 사람

추락하는 여름이라 이를 새도 없이,
여름은 나른히도 가버렸습니다
목구멍 깊숙이를 금세 들락거리는 건조한 공기에
요새 아침마다 잔기침을 달고 삽니다.

가을 하면 또 생각나는 사람이 있습니다.
웃는 모습이 초가을 밤을 닮아있던 그 사람
덕분에 그해 가을 여름의 무거운 습도가
가신 공허한 바람에도 나는 충만함을 느꼈어요

올가을엔 꼭 같이 핑크 뮬리를 보러 가자던 약속
은 허투루 한 말이 아니었지만
가을이 다 끝나가도 조급해하지 않았던 건
아무래도 상관없음이 아니었을까 싶습니다

요즘은 달이 참 밝아, 그 사람 생각을 자주합니다

La Boheme

우리가 딱 너만 할 때가 있었는데 / 우린 재난이
었지. / 아니, 재앙이었어
그래도 우린 행복했어 / 웃음이 헤펐고, /그만큼
울음도 잦았다

우리의 불행을 우린 온 마음을 다해 / 증오하면서
도 사랑했어.
항상 우리가 어른이어야만 했고, / 우린 우리들 이
야기 속 / 비극의 주인공이었지

우린 그때 / 우리를 정말로 사랑하는 법을
몰랐던 거야.

그래도 우린 그때의 우리에게 미안해하지 않아
그때 우리가 느낀 감정들만은 / 거짓이 아니었거
든. /그걸 우린 알아,

그 애도 마지막 순간까지 / 그렇게 믿어 의심치

않았을 거야

결국 이것도 엉성하게나마 우리 곁에 자리 잡은
진짜배기 사랑이란 걸,
그리고 우린 이걸 잊지 말기로 했잖아

큐엔에이

요즘 궁금한 것

Q: 가식은 나쁜 걸까? 인간이 개보다 존엄한가? 그 이유는? 외모 지상주의에 대하여..., 이기적인 건 나쁜 걸까? 왜?

A:

소설가 구보씨께

고독을, 두려워하지만,
고독 속에서, 스스로 고독을 사랑한다며,
나를 속이는 날들의, 연속입니다

인간관계에서 도태되어 가는 것을 아닌 체하고 있습니다. 사람들이 내게 다가오면 나는 좋으면서도 동시에 두렵습니다. 나는 무매력의 사람이라는 생각이 항상 내 머릿속을 꿰차고, 그 열등감은, 나를 더욱 자기 성찰의 굴레에서 빠져나오지 못하게 해요.

내 행동 하나하나 자꾸만 의심하는 자신 없는 나로부터 벗어나 나의 겉과 속을 모두 사랑할 수 있는 그런 강한 사람이 될 수 있을까요.

그런 날이 머지않아 오길, 진심으로 소망합니다

미화 불가 로맨스

아주 가끔 네 생각을 해
새하얀데 이상하게 꼬질꼬질해 보이던 셔츠
땀에 젖은 짧은 머리카락
아기 같은 얼굴이나 작은 입도
너를 그리워하기엔 우린 너무도 쉬운 사랑을 했지
미안한 말이지만
나는 여전히 너를 통해 그때의 나를 봐

장마철

장마철엔,

흐린 날씨완 다르게 이상하게 기분이 들뜹니다
아침엔 현관문을 두 번 들락거려야 하고
교실에 들어와선 양말을 벗곤 그대로
실내화 주머니에 쑤셔 넣는 일상
이어폰에서 흘러나오는 못의 날개에선 비릿한
먹구름의 향이 나고
나는 우리가 부서질 것을 알면서도 자꾸만
눅눅해진 종잇장을 힘 주어 넘깁니다

가을일기

여름에 쓰는 일기는 뚝뚝 떨어지는 끈적하고 습한 풀내음이지만,

가을에 쓰는 일기는 버석거리고

당장이라도 한 줌의 오랜 종잇장 같이 말라 비틀어질 거 같아

견디기 힘든 건조함이 내 목에 들어찬다

.

잠에서 반쯤 헤어 나오기도 전에 후리스를 찾는 것과,

아침마다 엄마가 끓이는 생강차의 알싸한 향이 일상이 되는 것

가을은 또 노래가 찾아오는 계절

들어야 할 노래들과 들려오는 노래들만으로도 정

신이 혼미한데

또 오른쪽 귀에선 지난여름의 기억들이 이명처럼
끊이지 않는 것

반복되는 멜로디를 재생한다.

'오늘 아침 정지영입니다' 에선 브로콜리너마저의
노래가 흘러나오고

우리는 오늘의 사연을 가만히 기다리면서 차를
마시고 싶다

백우림

머리만 대면 잠이 온다는 말이 뭔지도 몰랐는데
이제야,
잠 많이 자는 것도 사치인 시기가 되어서야
깨달아버린,
비가 내리는 지금 창문 밖으로 막 들어오는
찬 공기의 흐름을 겪으려고 학교에 남아있는
귀여운 락스타 친구는

빈속에 징한 커피를 넣었더니 뱃가죽이 공허하다

첫사랑

봉숭아 물들이면서 생각 제일 많이 했어요
요즘은 그럭저럭 나쁘지 않아요

마주하기에 부끄러운 기억들이 많아요
나는 그만 잊고 싶으니까
당신이 대신 잊어 주세요

행복하란 말 이제 징하다.
감히 내 행복 운운하지 마세요
그래 놓고선 후회막심

잘 지내냐는 다정한 물음에
응응은 섭섭하니까 나는 또,
웅

2장

♪(FKJ-ylangylang)

속내 2

너무 아름답기에 두려운 것들이 있습니다

조악한 변명을 늘어놓고

나의 어리석음을 그대로 꺼내 보이면

그런대로 마음이 놓인다는 고백을

전에도 여럿 한 적이 있습니다만

이런 겁쟁이가 과연 무엇이든 할 수 있을까

하는 마음이 드는 겁니다

이젠, 그것이 또 새로운 나의 두려움이 되었습니다

어설픈 위로라도

당신들의 길었던 불행을 저는 알 수 없지만
눈물은 눈이 건조하지 않을 정도로만
주기적으로 흘려주는 게 가장 바람직하니

(다만 확실한 건 당신이 건강하게 아파야 한다는 것입니다)

모의 우울

눈물 자국이 생기게 놔두며
스스로를 나약한 사람이라 이르던
당신의 우울은

이월이 가고 삼월에도 눈이 오는 이상기후처럼
혹여나 다시 찾아오지 않을까 두려운
당신의 불안은

구원을 바라고 또 바라도
눈길 하나 주지 않는 절대자의 비정함을 가장한
당신의 불행은

이제 끝났습니다
수고하셨습니다

마지막으로
작성하지 않은 아름다움이 있는지 다시 한번 확인
해주시길 바랍니다

공상가의 계절

이번 여름에도 어김없이 찾아오는 장마 덕에
우산이 무용해지고 양말이 쓸모를 잃는 날들의
연속이었습니다

꼭 비가 그치고 재앙 같은 햇살이 비출 때 밖엘
나가면 아스팔트 위에서 서서히 말라 죽어가는
지렁이들이 보여요

무력한 장마철을 가장 좋아하지만
비가 그친 뒤 땅바닥만 보며 걷는 우리들의 뒷목
은 잔인한 햇살 아래 따갑기만 합니다

빠르게

사람들은 나이 들고 경험이 많아질수록 시간이 빠르게 흐르는 것 같이 느낀대요 나에겐 평생이던 시간이 옆집 할머니한테는 눈 깜짝할 사이 흘러버린 세월일지도 모르겠습니다 내게 일어나는 모든 일들에 익숙해져 어제와 같은 오늘을 살아가게 될 미래를 상상하면 덜컥 겁이 납니다 시간이 아주 느릿느릿 내 발아래로 쌓여 지난 시간들에 내가 얼만큼 잠겼는지 잊지 않을 수는 없는 걸까요 눈 깜짝할 새 지나버린 시간들 뒤엔 언제나 허탈함과 대견함이 공존합니다만 그 감정들의 의미를 알고 또 이름 붙이는 건 미룬다고 되는 일이 아닙니다 그걸 알면서도 우리는

조악한 염세

언젠가 내가 동경했던 사람들의 세계는 하나같이 무채색이었습니다

온갖 빛깔들이 난무하는 세상에서 홀로 무채색으로 빛나는 이들이 얼마나 눈에 밟히는 것인지, 그건 본래 자신들의 것이던 검고 흰 마음들의 혼합과 같아 보였습니다

그 세상에 사는 사람들, 그들의 크고 작은 세상을 나는 동경했어요

무채색을 꿈꾸는 어둠 속에서 무기력함을 역류해가며 살아가는 사람들,

금세 나는 그들을 결코 이해하지 못할 거란 걸 알았고, 우울한 문장을 이해하지 못함에 감사할 줄 알게 되었습니다

덕분에 이제 내가 사랑했던 이들의 우울을 진심으로

끔찍해 할 줄 알게 되었으나, 진정한 사랑은 당신의 우울마저 사랑해 주는 것이 아니라고 말해 줄 이가 이미 내 곁에 없다는 사실이 못내 섭섭할 따름입니다

블랙 코미디

유쾌한 자의 슬픔이 나는 무엇보다 마음 아픕니다
그의 너털웃음은 어떤 아픔도 대수롭지 않다는 듯
이 무덤해보이지만
사실 그가 강하지 않다는 걸 그는 가장 잘 압니다

사람들은
그의 유쾌함에서 이유를 찾고
그의 푸념에서 위트를 찾습니다

그의 인생에 나는 박수를 보내고 싶습니다
개같은인생에도웃음을잃지않음에감사하기!

불완의 미학

때론 너무 완벽한 것보단
삐걱거리며 불완전한 것들에서 더 많은 걸 배워요
우리는 완벽하지 않기에 사뭇 아름다울 수 있고요

사과가 되지 말고 도마도가 돼라

속이 시커먼 사람의 말은 아주 답니다
떨이요 떨이~!
싸게 드리지 않으면 눈길조차 안 주는
겉만 번지르르한 빨강

사과는 토마토가 되기 위해
그의 붉은 아름다움을 바래야 하는지
그의 외설스러운 속살을 붉게 물들여야 하는지
알지 못하지만,

슬픈 나의 젊은 날

내 젊은 날의 유한함은 너무 아프지만
영원히 잊지 못할 날들을 강조하며
웃어 보이는 일은

언제 해도 고맙고 또 고마워서
눈물이 다 날 지경입니다

지금이 좋을 때라는 어른들의 농담 섞인 진담이
그리워지는 날이 오겠지마는

지금은 그저 영원할 것만 같은 나의 젊음을
탓하고

좌절과 희망 사이에서 머뭇거리며
슬픈 나의 젊은 날들을 살아냅니다

바다의 고백

파도로 태어나 거품으로 죽는 나에게 어떠한 것도 바라지 않고

그저 나를 바라보는 것만이 당신의 사랑을 말하는 유일한 방법이라고, 애정 어린 눈으로 당신은 그렇게 말해줬잖아요

그럼에도 나는 해변가에 새긴 두 개의 이름들을 겁내어 집어삼켰지만, 그게 사랑의 결실이라도 되는 양 즐겁게 웃던 연인들이 밉지 않았어요

결국 나는 윤슬 아래로 부서지는 바다의 투명함 따위를 사랑하는 나약한 존재입니다

겨울 안부

잘 지내셨어요?
올겨울은 비교적 따뜻하대요
기억할지 모르겠지만 나는 추위를 심하게 타서
좋아했는데 아까 본 다큐멘터리에서 북극곰이
노란꽃이 만개한 북극에서 힘들어하는 걸
봤더니 추운 겨울이 아닌 게 참 미안해요
그래도 우린 나름 버거운 추위를 나야겠죠
당신 남들 추위 걱정 많이 하는 거 알아요
그래도 사랑하는 사람 목도리 안부 묻기 전에
본인 목도리부터 단단히 매요
아무래요 건강이 중요하니까요
양쪽 주머니에 핫팩 하나씩 넣고 다니시구요
따뜻한 물은 선택
붕어빵은 필수인 거 아시죠?
살 찔 걱정 말고 원하는 대로 실컷 사 먹으세요

아

어느 날은 문득
나이 든 나의 모습을 상상합니다
아, 어느새 여든을 앞둔 나는
주책맞고 수줍은 소녀가 되어 있습니다

불면

무언갈 쏟아부어야만 잠에 들 수 있을 거 같은 밤에는 시간이 유난히 더디게 흐르는 거 같습니다

손마디가 새하얘질 정도로 연필을 세게 그러쥐어도 할 수 있는 게 지루한 낙서밖에 없던 무력한 날들의 끝에서 머지않은 미래를 끝도 없이 생각하다가

기어코 무거워진 눈꺼풀에
무거워진 마음을 매달고서
꿈도 꾸지 않는 깊은 잠에 듭니다

4.16 나의 할아버지

(침침한 눈으로 아주 멀리에서도 이 글을 읽을 수 있도록 큰 글씨를 씀. 이 글이 오롯이 우리 가족을 위한 페이지로 남길 바란다)

당신을 추억하려는 굳은 마음이 나에겐 여전히 이렇게나 짙게 남아있습니다

개나리의 노랑처럼 굳세고
탄천 징검다리 아래 메기만큼 억척스럽던,
그렇지만 혼자가 아니던 그 여름밤만큼이
나 아름답고
멋모르고 받아먹던 그 제철 과일들만큼
다정하던

그런 당신을 잊지 않으려는 굳은 마음이 내겐 여전히 이렇게나 깊게 남아있습니다

당신이 우리에게 주었던 사랑만큼, 그만큼 무거웠던 어깨에 얼마나 많은 것들이 깃들었을지 나는 감히 짐작조차 할 수 없지만

당신이 사랑했던 이들이 당신을 너무 아프게 한 것은 아니었길 바랍니다

아주 멀리서도 우리를 위해 기도해 줄
우리의 영웅.
더 이상 영웅이 아니여도 괜찮길

광웅이란 이름만으로도 충분히 고매한 당신을 영원히 추억하며,
2024.4.16

교실

새하얗게 몸부림치는
공모전 종이와 학급 시간표
서로 다른 극들의 견고한 입맞춤

손을 뻗어 줘
조금만 더
온몸을 비틀어줘
그래 그렇게

결국 극적인 사랑을 이루고 말 너희들
후덥지근한 공기는 아쉬운 마음을 남기고
한여름에 불어오는 끈적한 바람에선
열대야의 맛이 나

잠들지 못하는 그네들의 꿈을 맛보고
젊은 시인의 발칙한 페이지들을 넘기며
가슴 벅차던 그날들로 다시 한번 돌아가기 위해
자꾸만 움츠러드는 어깨

새파랗게 질린 책상에 앉아
새파랗게 질긴 일탈을 한다
모든 만남과 이별은 우연으로 가장할 때 가장
아름답고, 운명으로 가장할 때 가장 슬프다

그러니까, 어쩌면, 바람이 더 세게 불어야 한다

3장

♪오영-배드신

곤히 잠든 너의 얼굴, 녹아내린 공기도

숨쉴래요 또다시, 찾아오는 파도에 잠겨 무너질래

시인의 러브레터

선생님 저는 아직도 어려워요 선생님말예요, 분명 제가 좋다고 해주셨잖아요 그런데 왜 또 떠나시는 거예요 이번이 몇 번짼지... 정말 너무하세요 이번이 마지막 이별이길 바라는 수밖에 없는 제 마음을 조금이라도 아세요? 혹시 제가 선생님을 속이고 있었던 것까지 아시는 건 아니죠? 언제까지고 여리고 착한 저라고 생각해주셔야죠 혹시 이런 저를 눈치채셨더라도 모르는 척 해주세요 이 정도 부탁은 들어주실 수 있으시잖아요. 제가 행복했으면 좋겠다고 하셨던 말은 아직 유효한가요 물론 선생님은 나의 행복에 기꺼워 해주시겠죠

어느 염세적인 시인의 러브레터처럼 저도, 선생님이 성장하지 않아도 좋으니

부디 상처 하나 없이 행복만 하셨으면 좋겠습니다

멋진 블루쓰

촌스럽고싸보이는것더이상차리고견딜게없어서좋아

애쓰지않아도되니까

날놓으면놓을수록더심도있게천박해지지

뻔뻔한거같아도실은불안하기때문이니까

비웃음의깊이가얄팍한게

그나마견딜만하기때문이니까

한심하게보지는말아줘

너도같이불러줄래늘려줄래

내가부르는불루우쓰으에맞춰간드러지는춤이라도춰봐!

나무 소외

어제 우연히 가지치기의 현장을 목격했습니다
풀 냄새가 아릴 정도로 새파랗던 가지들이
자비 없이 내쳐지고

딱 나가떨어진 가지만큼의 서러움이
길가에 나뒹굴었습니다

현대사회의 나무 소외 현상.
그들은 그들이 왜 이곳에 박혀
주기적으로 가꿈 당하는지 묻지 않은 채
그저 잠자코
한없이 푸르릅니다

슬픔에 한층 더 짙어진 초록이
어쩌면 이 여름을 심화시킬지도 모르겠습니다

향기

나를 좋은 향기로 기억하세요

아, 이 속 보이는 사람.

옆자리를 지날 때마다 스치는 향이

창밖에서 불어오는 바람에도 스미는 듯

'이 교실만 들어오면 좋은 냄새가 나'

하는 선생님은

누구의 향을 그렇게 추억하시는지

옛 애인이 쓰던 샴푸와 같은 향을 쓰는

친구의 뒷모습을

한참 동안 바라보았습니다

샴푸의 이름을 물어도 돌아오는 대답은 웃음뿐,

여대 앞에 사는 남자는

이토록 어지러운 향기에 취해

오늘도 때 이른 산책을 합니다

나는 그의 은밀한 취향을 샴푸 냄새로 기억합니다

파토스

색이 짙어짐
완전히 여물기 전의 대범함
스스럼없이 푸르름
눈을 감아도 선명한 초록이
어쩌면 또 한 번 미화의 계절을 보낼
단단한 마음에 덧대어질 때
숨 막히는 아름다움까지도 기워내는
저녁 무렵

고백

고양이들
눈 천천히 감았다 뜨는 거
사실
사랑 고백이 아니래
인사하는 거래
미안 진짜 몰랐어
감자 많이 먹어라

양치

치약을 짜서 어금니만 세 번
치카치카치카
시려운 이는 공을 좀 들여야 해
산딸기 씨앗을 씹을 때 시큼하거든
새까만 얼룩을 박박박

혀 아래로 엉겨 붙던 알싸한 향의 여운까지도
역겨워하던 그이의 새빨간 혀를
추억하게 되잖아

애교로 봐줘

이번에는 다를 거라고 믿었던 너는 결국
마음을 채 다 들여다보기도 전에
여린 눈물을 왈칵 보였고
나는 역시 지루하고 성급한 위로를 퍼먹여 주었어

결국 탈이 난 우리는
별이 총총히 박힌 네 희미한 손목을
어쩌지 못해 부러뜨리고

너는 다친 팔이 다 나을 때까지
다리로도 곧잘 걸어 다녔잖아

네 눈물을 투정섞인 애교 정도로 생각하던 나는
위태로운 네가 한없이 사랑스럽게만 보였어

春

어지러운 봄을 맞이합니다
푸를 청자에 봄 춘을 쓰는
청춘을 우리는 언제 보내나요
뜨거운 한마디를 던져내는 것이
우리의 목에 박힌 것을
자꾸만 매끄럽게 해요,
아프지 않게,

세기말 연인들

세기말의 연인들이 기도하며 구원을 바랄 때
우리는 애처로운 그들 사이에서 사랑을 나누어

비굴한 욕망 위를 구르며 부르는 독보적으로 이상스러운 우리의 욕망은 우리를 구원할 당신조차 무력하게 하는 걸

아, 그 순간만큼은 우리가 그 누구보다 아름다운 연인일 거야

구원따위가우리게에뭘줄수있겠어?
오직관능적인손짓만이우리의심장을뛰게할거야

movie star

/scine1

빈 교실에서 울리는 클래식 기타 소리와 민들레
영화의 한 장면을 살아 내봅시다
다음 장면으로 넘어가기만 하면 전부 괜찮아질테
니깐, 너무 슬퍼하진 말기로 해요
로맨스에 유리되어 유치한 말장난 같은 고백을
하는 우리들을 가여워하진 말기로 해요
스크린을 넘기고 넘기고 넘기고..
주인공에게 어떤 시련이 닥쳐도
묵묵히 내레이션은 흘러갑니다
정말 모두 다 괜찮다는 식의 태도가
위로가 되는 것을 아세요

/scine2

교실 맨 뒷자리에 엎드려 잠만 자는 친구처럼
나를 봅니다
발을 구르지도 않아요

지난밤에는 내가 반으로 잡히는 꿈을 꿨는데요
아, 내가 제트플립이였나 하고
대수롭지 않게 넘겼습니다

자장가

내게 이유 없는 영원을 기약하는 당신은 때론
바로 내 옆에 누워있어도 있어도 사무치게 그리워

그렇게 조용히 내 옆에서 잠을 자는 당신의 숨소
리를 듣고 있자면 덜컥 겁이 나는 이유는 아마
이 순간이 영원하길 바라기 때문이겠지

그리고 나의 바램은 당신의 품속에서 꾸는 깊은
꿈속에서 이루어져
사랑의 모든 형태를 이뤄내고
우리 영원하자 쫑알거리던 내 목소리가 자꾸만
어디선가 들리는 거 같아
그 영원의 종소리를 따라 오르면

어린 날 어느 새벽 우리가 했던 약속처럼
구름 위에 지은 집에서
그렇게 평화롭게, 영원히,
함께할 수 있겠다

사랑의 언어로

우리는 낯간지러운 말에 면역이 없기에
대신 사랑스러운 은유로 사랑을 읊습니다
낮은 소리로 잘게 떨리는 그리움을 부르는 사람
한때 자신의 전부였던 이의 이름을
은밀히 그리워하는 낡은 마음이
여기에도 있습니다

새하얗게 밤을 지새운 새벽
잔향처럼 남은 그리움을 한데 모아 삼키면
다시 사랑의 언어로 게워 낼 수 있을까요
그리하여 어렵게 꺼낸 몇 마디들이
당신에게 오래도록 기억되길 바랐습니다

일기장의 일기

건강한 이별
소리없는 죽음
지루하기 짝이 없는 종말에
나는 너와 같은 모습이고 싶지 않아서
이를 깍깨물고 혀를 꽉 깨물고

알록달록하던 마음들은 결국 검게,
검게 뒤섞였다

우리는 너덜너덜해진 입술로도 휘파람을 잘 분다
마치 우리 얘기같은 사랑 노래에
침을 질질 흘린다 우리는

굳어가는 혀끝에 힘을 준다
우리가 마지막 순간까지도 이기적일 수 있어서
정말 다행이였다

손 없던 날

내 웃음을 좋아해 주던 사람
다정의 의미를 잘 모르던 사람이었지만
다정하지 않아도 따뜻했다
장마철에 우산을 일부러 하나만 펼치고
나눠 쓰던 풋풋함
같이 나란히 비를 맞던 다음 날
너만 감기에 걸려 고생하던 것이
어쩌면 우리 이별의 연장선이었을지도
모르겠다는 생각

친구들에게 (실은, 나에게)

이 글을 쓰는 지금은 아직 좀 쌀쌀해서 저녁엔
겉옷을 챙겨야 해,
오후의 싸늘함이 반가워질 한여름을 이렇게
기다리다가도 나는 또 한여름의 끔찍한 더위에
질색하겠지만

작년 여름의 추억과
이번 여름의 더위를 혼동하기에
언제까지고 무모할 수 있는 우리의 여름날이잖니

변하지 않을 것들을 사랑하지만
영원하지 않음은 두려워하지 말아야지

변덕이 심한 나는
좋아하던 일을 질려하기도 하고
이상형은 매년 같았던 적이 없고
사랑하는 이들의 범주는 하루에도 몇번씩 바뀐다

그러니까 지금의 우리가 영원하리라고 믿지 말자

나를 그 틀 안에 가둬두고 더 넓은 세상으로
나아가길 막는 건

정말이지
잔인한
짓이야

우리는 언제 바뀌어도 이상하지 않을
열아홉을 살아내는 중이니까,
이런 위대한 변덕을 반길 용기가 있다면
이 아픔이 조금은 더 빨리 끝날지도 몰라

이건 나에 대한 고전적 모색,
나 자신에 대한 고전적 모색일까

있지, 다행히 이 아픔은 우리만 겪는 게 아니라서
책 읽고 노랠 듣고 하다 보면
그 속에서 나를 발견하곤 해
그리고 사실 우린 그런걸 참 좋아하잖아

주의사항

시선에 굴복하세요
누군가의 인생의 일부가 되려고 애쓰세요
다들 그렇게 살아간다고요

독이 들었을 거 같이 생긴 열매를
먹을 수 있다고 우기던 친구를 말리면서
자꾸만 눈물이 나올 거 같던 어린 나는
이제 웃어 보이며 철쭉을 내미는 사람이 되었습니다

어떤 형태의 사랑이든 기대를 걸지 않아도
인생이 아름다워지는 데는 아무 지장이 없다는걸
알고있어요

매일같이 인생을 연기합니다
행복과 고독과 사랑과 비애가 고난과 행운이
적절히 분배되지 못한 삶을
적당히 살아내요

다만 후회를 연기하세요

그래야만 우리는 삶이 비극이 되는 이 희극을
끝낼 수 있습니다.

절대로 영원을 꿈꾸지 마세요

의심의 눈초리로 그 애를, 나를, 너를 노려보세요
(이때, 동그랗게 노려보세요)

사랑스러운 삶을 살아가기 위해 애쓰는 척 하는
사람으로 살아가요

그럼 이제 당신의 세상은 나의 것
쾌재를 부르는 당신이
가여우면서도 재미난 것

입가에 조소를 띄우고 축하의 말을 건네는 나는
이제 당신의 것입니다
야~호~!

마지막 말

시집이 아니라 사색집인 만큼 이 책엔 대체로 사랑스럽지 못한 투박한 글들이 많습니다만 그만큼 애정어린 진솔한 마음들을 많이 담았습니다

내 어린 날들에 대한 이 비겁한 변명들이 부디 나만을 위한 것들이 아니길 바라는 마음으로 모두에게 지금만이 할 수 있는 영원을 약속합니다

마지막으로 이 지극히 사적인 이야기들이 모여 책이 되기까지 노력해준

책 디자인 김희영, 백우림 백소연, 나에게 영감을 준 모든 이들 이를테면

K, 친구들, 그리고 가족들에게 고맙다는 인사를 하고 싶습니다

빛 바랜 젊음의 맛에선 영원의 비린내가 난다

발 행 | 2024년 07월 09일
저 자 | 이승리
펴낸이 | 한건희
펴낸곳 | 주식회사 부크크
출판사등록 | 2014.07.15.(제2014-16호)
주 소 | 서울특별시 금천구 가산디지털1로 119 SK트윈타워 A동 305호
전 화 | 1670-8316
이메일 | info@bookk.co.kr
ISBN | 979-11-410-9417-1

www.bookk.co.kr